Aram Khatchatourian
Aram Khachaturian

Œuvres pour piano
Works for piano

Réf. PO5088

© 2018 by Editions Le Chant du Monde, Paris

EDITIONS MUSICALES
part of The Music Sales Group
10, rue de la Grange Batelière – 75009 Paris

Deux pièces

Aram Khatchatourian

1. Valse caprice

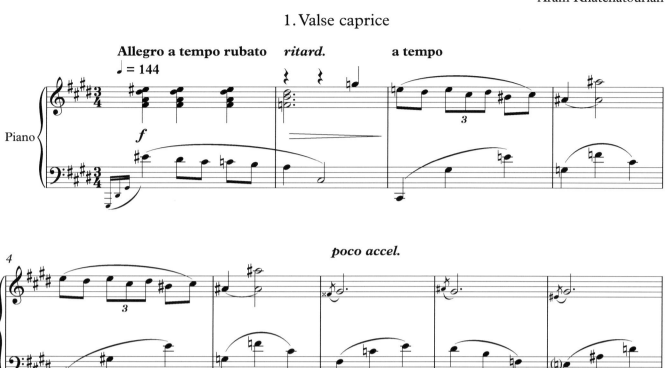

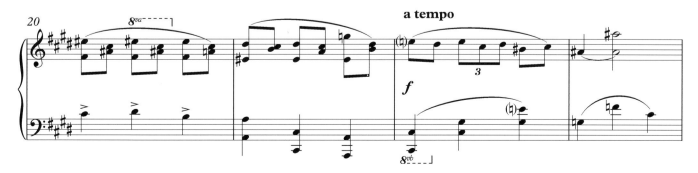

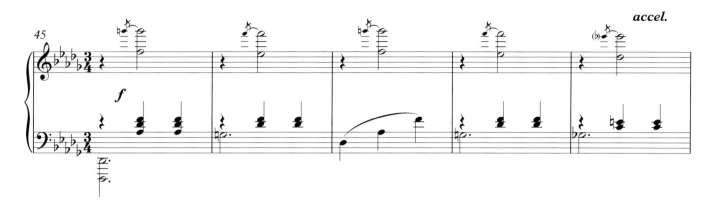

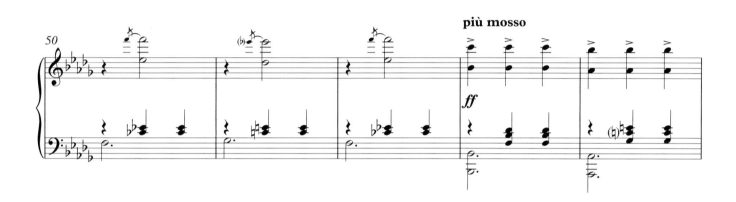

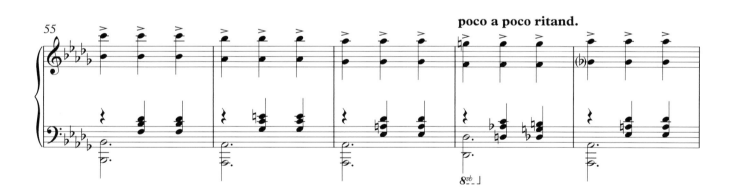

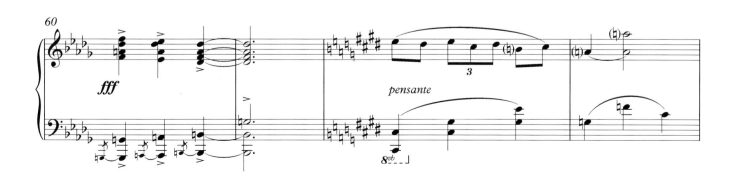

4

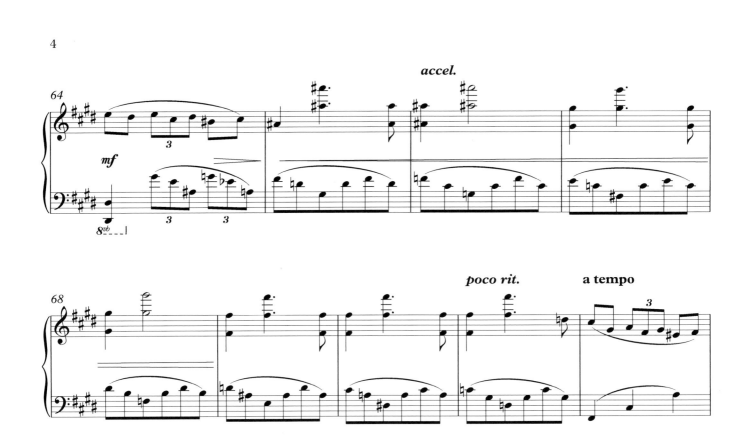

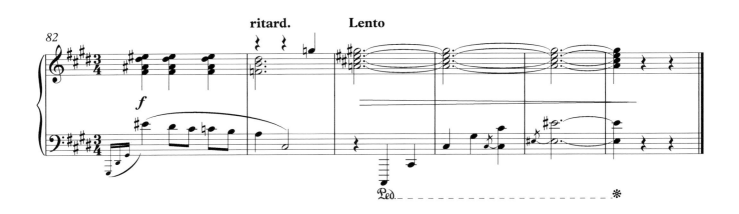

Poème
(1927)

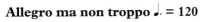

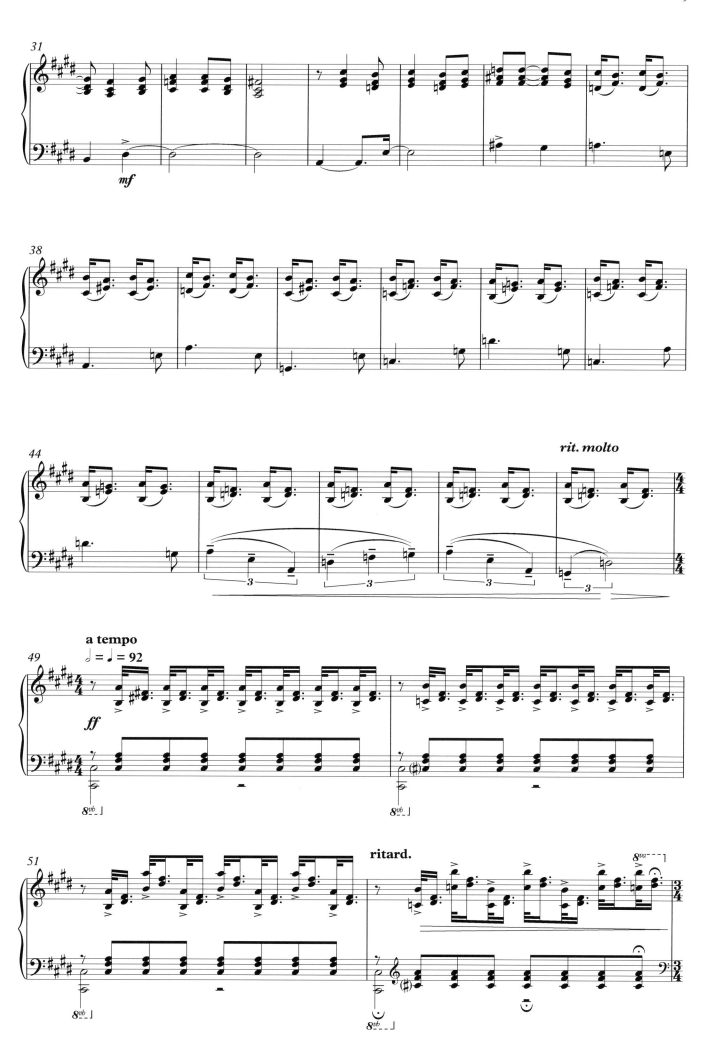

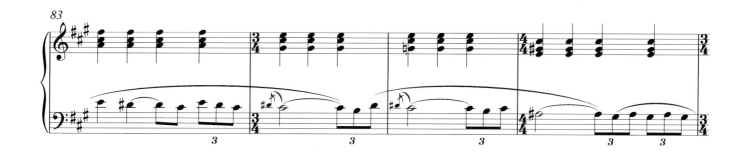

molto accel.

molto cresc.

sostenuto

Vocalise
(1978)

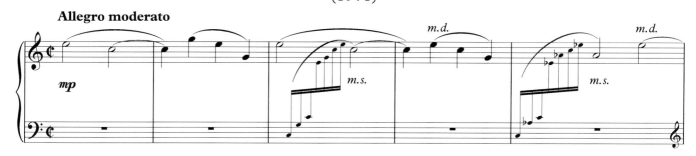

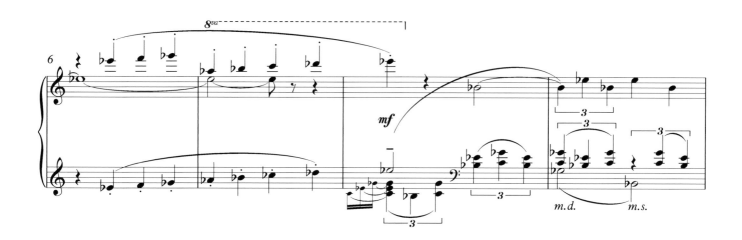

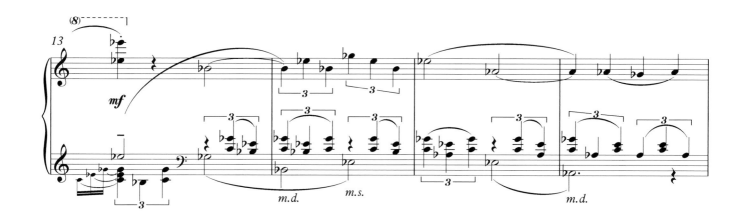

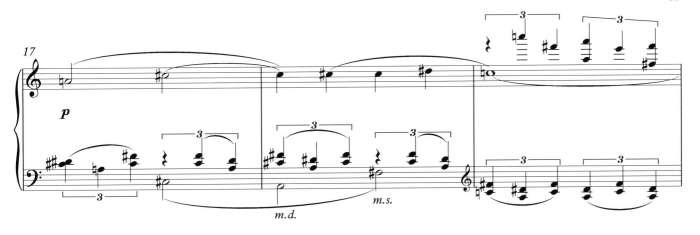

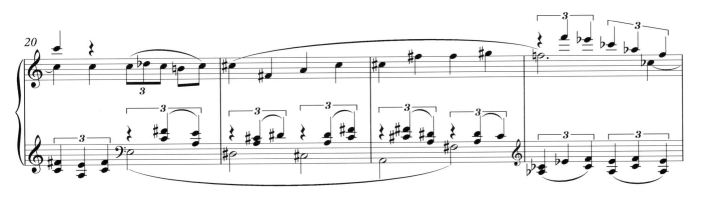

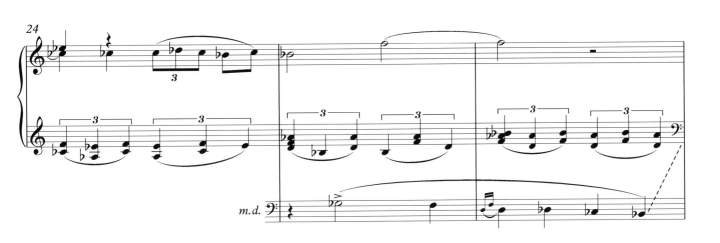